고수

고수

14

문정후·류기운

차례

172화 5

173화 29

174화 57

175화 83

176화 109

177화 131

178화 157

179화 183

180화 207

181화 231

182화 255

183화 281

184화 329

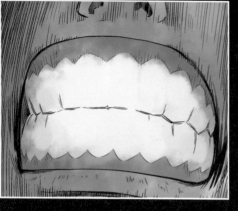

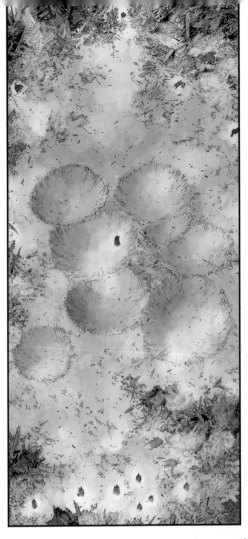

…….

저놈이
어떻게….

분명 교룡갑은
내 손으로
없애버렸거늘….

도대체
무슨 조화를
부린 거냐?

……

나…는
죽었을 텐데…?

팔다리가
찢겨져 나가고
몸도….

…꿈을 꾼 건가?

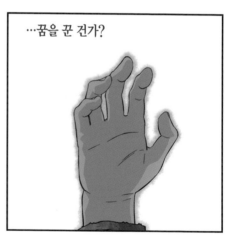

…왜지 몸이
가벼워진 것 같은
느낌이….

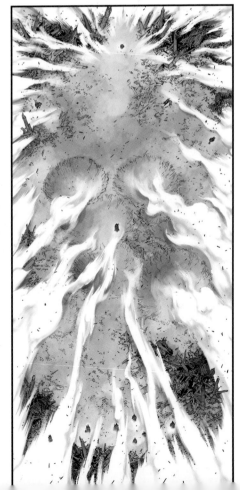

혈비?

아아…,
그랬지….

나는 저자와
싸우다가….

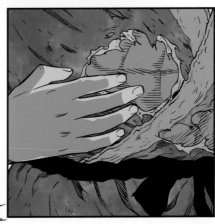

상처가….

…강해지고
싶어?

그럼
'단'을 깨워!

……

뭔…가
기억이….

......

감히 본좌를 앞에 두고
한눈을 파는 것이냐!

19

음…!

...흑룡왕 혈비...

아무리 발버둥 쳐도 내가 가진 능력으로는 도저히 넘어설 수 없는 최강의 적...,

...이었을 텐데...

꾸 국··

윽!!

이놈 힘이…!

왜 지금은 질 거란 생각이 안 들지…?

……!

쾅

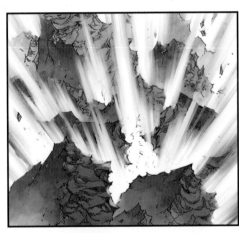

이놈!
용서를 바라지 마라!

……!

으익!

큿!

콩 퍼 퍼 퍽

......!

...튕겨냈어?

저따위 젖내 나는 애송이가 본좌의 기공을...?

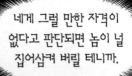
네게 그럴 만한 자격이 없다고 판단되면 놈이 널 집어삼켜 버릴 테니까.

…쉽진 않을 거야.

꿈이!.. 아니었군….

……. 그럼 이게 전부 그 '단'이란 것 때문인가….

온몸이 갈기갈기 찢겨져나가던…,

흡사 탈태환골과 같은 그 끔찍한 경험도…,

이제 와서
저 혈비를 상대로
질 거란 생각이 들지
않는 것도…!

?!

뭐지, 저건?

그림자?
…아니, 기(氣)
같은 건가?

34

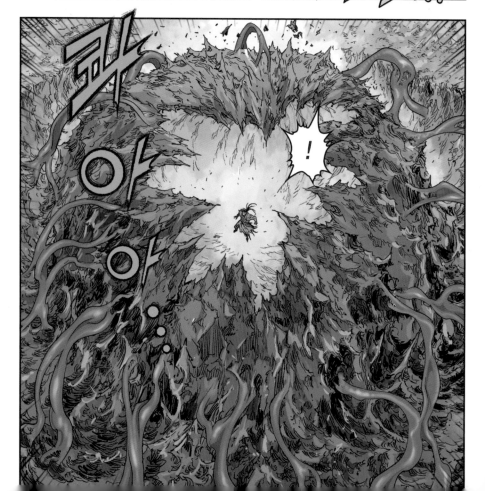

음?!

......

무형의 기를
형상화시키거나
그 힘으로 사물을 파괴하는 건
옛 마교에서나 밀전되어오던
무공이라 들었는데….

'단'이란 기물의 힘은
저런 무형의 기를
보이게 할 수도,

…형상화시켜
사물을 파괴할 수도
있단 말이지….

내 몸에
손을 대지 않고
팔다리를 비틀었던 것도
저 힘이었군.

으?

!

저건!!

저 영기(靈氣)가
보인다는 건…,
설마 놈도…?!

……

마교 교주의 몸에서 빼낸
'푸른 단'은 이제
존재하지 않습니다.

파괴하고 녹인 뒤 전부…
사형의 몸속에 안배해둔
'붉은 단'을 만드는 재료로
사용했습니다.

그 과정에 대해선
이미 몇 번이나
설명드렸을 텐데요?

…하나 누군가 또
만들 수도 있지
않은가.

한 번을 성공했는데
두 번은 없으리란
보장이 있겠나….

푸른 눈의 주술사가 남긴
비급서를 연구하고
마교 교주를
찾아내기까지 수십 년.

이후로도
거듭된 시행착오를 거쳐
단을 완성하기까지 또
수십 년이 걸렸습니다.

설사 제가 다시 한번
그 과정을 반복한다 해도
성공할 확률은
1할에 미치지 못할
것입니다.

그런가….

그렇습니다.

사형께서는
가능성이 없는 일에
집착하시기보다
단이 각성한 뒤의 일이나
대비하시는 편이
어떨지….

후..

각성하기까지의 과정이
얼마나 어려울지에 대해선
새삼 다시 말씀드릴 필요도
없겠습니다만,

각성한 뒤 그 힘을
제대로 운용할 수
있어야 합니다.

푸른 눈의 주술사가 남긴
내용들을 바탕으로…
단의 힘을 미리 경험할 수 있는
포태궁이 곧 완성될 것입니다.

모든 일은 제게 맡겨두시고
사형께서는 때가 될 때까지
그곳에서의 수련에
집중하시지요!

오오오!

드디어
찾았다!

나의 비원을
이루어줄
재목을…!

파천신군의 죽음으로
한 번은 포기한
꿈이었다….

흑룡왕 혈비의
재능과 집념은
높이 사지만,

그가 마도환생의
경지를 넘어설 수
있을지 없을지…,

…아니,
넘어선다 해도
과연 그 '문'을
열 수는 있을까….

그런데
보라….

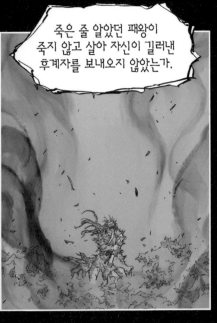

죽은 줄 알았던 패왕이
죽지 않고 살아 자신이 길러낸
후계자를 보내오지 않았는가.

그 놀라운 힘을
고스란히 물려받은
파천신군의 분신..

이 아이의 존재야말로
하늘이 아직 나를
버리지 않았다는
증거가 아니고 무엇이랴.

하나…,
지금은 이르다.

......
......, 어찌해야
하는가…,

자신의 힘을
다 끌어내지 못한 상태로
흑룡왕과 만나기라도 하면
부서질 수밖에 없다.

......
......
....

......
...... 역시…,

흑룡왕을
제물로 삼는 수밖에
없는가…….

……

파괴하고 없다던 '푸른 단'을
저 애송이에게 주었구나!

…모르셨습니까?

강룡이란 아이를 발견한 이후
나의 모든 계획은
그 아이를 위한 안배였음을!

사형은 단지
강룡을 각성시키기 위한
소모품에 불과한 존재였지요.

쿡쿡..

환사,
이 쥐새끼 같은
놈이…!

47

이 혈비가 순순히
네놈의 뜻대로
되어줄 줄 알았더냐!!

……

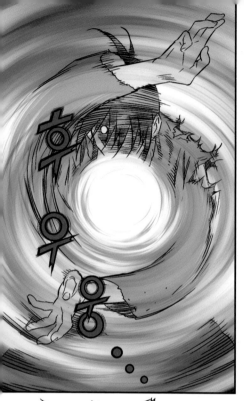

멸절오륜!

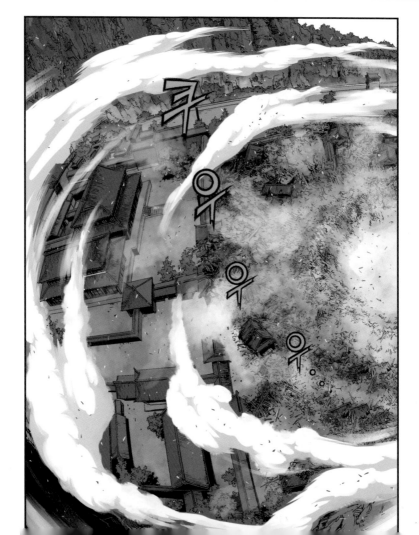

…!

쿨럭‥

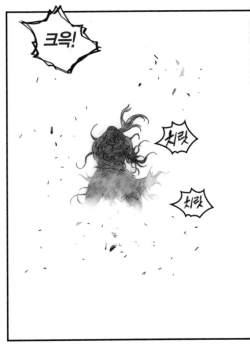

크윽!

치릿

치릿

이…놈…, 감히 누구한테
그따위
시건방진 눈을…!

내공에서
호각세를 이룬 정도로
본좌를 넘어설 수
있을 거라 생각하느냐!

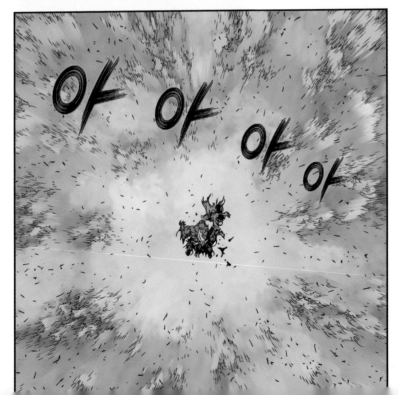

쿠아약...

후우우...

멍청한 놈! 본좌가 분명 한눈팔지 말라 충고하지 않았더냐!

그냥
어느 정도의 위력인지
직접 느껴보고 싶어서
받아준 것뿐이야.

......!

으윽

......!

아직 부상에서
채 회복 못한 지금,
놈이 저 거대한 '영기'를
이용해 공격해온다면
치명적일 텐데…,

어째서
시도조차 하지
않는 거냐?

…저놈!

혹시…
그런 식의 공격은
할 줄 모르는 건가?

각성시키기만 했을 뿐
놈은 아직 '단'이 가진
엄청난 힘들을
어떻게 다루는지
모르고 있어.

…그렇군.

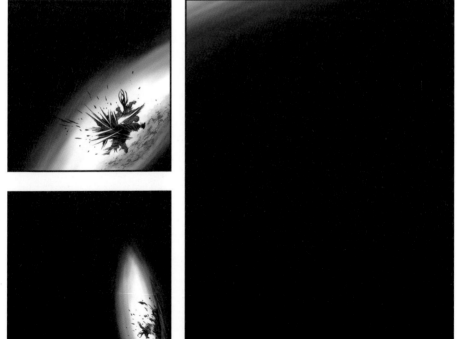

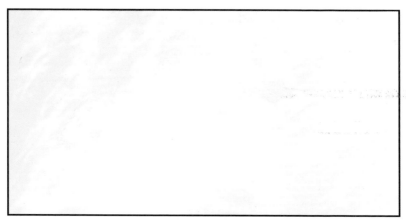

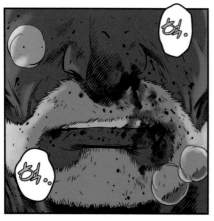

…그런 상태에서도
다시 살아나다니.

엄청난
복원력이로군.

…몰랐느냐.
그것이 바로
'단'이 가진 힘이다.

네놈 또한
마찬가지일 터.

……

나를 죽이는 것으로
마무리…?

네놈의 복수는
우리 모두를 죽여야
끝나는 것 아니었나?

그렇다 해도
달라질 건 없어.

이제 와서 환사놈은
용서할 맘이
들기라도 했느냐?

당신을 죽이는 것을 끝으로
이제 그만 내 할 일도
마무리해야 하니까.

환사?

누구지,
그게?

뭣…?

복수의 대상은
제자의 신분으로
스승의 등에 칼을 꽂은
당신들 세 사람이면
충분해.

누구를 끌어들이고
싶은지는 모르지만
그 일에 개입한 사람들을
전부 찾아서 다 죽일
생각은 없다.

환사 이놈이…,
'단'의 각성과 관련해
애송이 놈의 기억에 뭔가
개입이라도 한 건가?!

……

하긴… 이제 와서 새삼 놈에게 더 분노할 것도 없지.

어차피 환사나 네놈이나 내 손으로 죽이면 될 일.

기억이 제대로 안 나는 모양인데…,

'단'이란 것이 없을 때 기공이건 권술이건 당신은 내 상대가 못됐어. 이제 둘 다 그것을 손에 넣어 조건이 같아졌으니 결과도 같을 거야.

얼떨결에 손에 넣은 거대한 힘에 한껏 취한 것 같구나, 애송이….

단순히 힘과 속도만 늘어난 네놈과
'단'이 가진 전부를 끌어낼 수 있는
본좌의 싸움이라면
결과는 정해져 있는 것.

단지 시간이
문제일 뿐이야.

하나 네놈이
직접 확인했다시피
피차 죽이고 싶다 해서
쉽게 죽어줄 수 있는
몸도 아니다.

꾸드득...

이제 그것을
확인시켜주겠다!

75

?!

사라졌…?

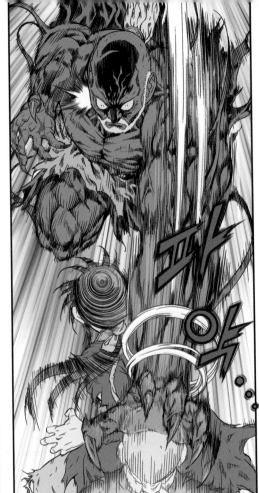

76

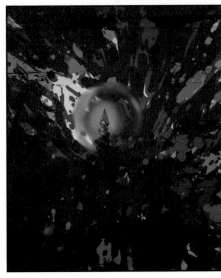

저것은…!

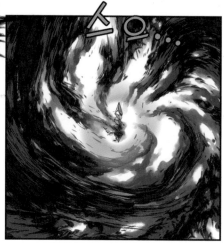

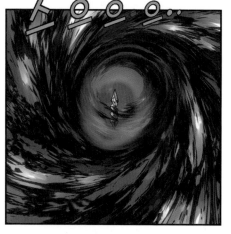

80

175화

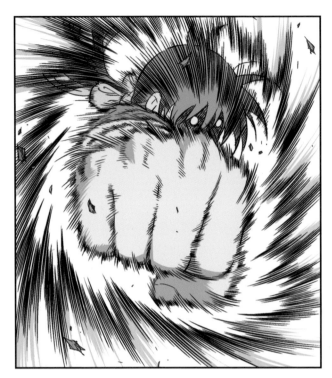

……

환사는
용서하기로 했느냐…?

환…사…?

…분명 어디선가
들어본 듯한….

욱선

윽!

……!

키
잉

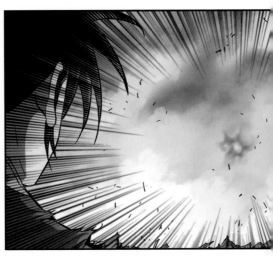

으ㄱㄱ
……

애애 …
애 솟이 놈
……

어 어…
어디 있느냐
……

……!

'단'이란 것이 깨지면
나도 저런 꼴이
되는 건가?

그건
끔찍하군.

파천신공!

멸절구륜!

크윗!

뭐?

꽉 막혔어.
더는 못 가.

막장?

아무래도
길을 잘못 든 것
같아.

처음 그 갈림길에서
왼쪽으로 갔어야 했나?

…하지만 그쪽으로
갔으면 아마…,
…으음….

……!

그나저나 너도
참 답 없는 놈이다.
갈림길 조금 지나고부터
계속 오르막이었는데
뭔가 이상하단 생각
안 했어?

들어올 때
평지로 들어왔는데
나갈 땐 왜 오르막인지
그런 상식적인 의문도
안 들더냐고.

길이로 따져 봐도 거의
산 중턱 가까이 올라올 동안
지적 한 번 안 하고 뭐 했냐?

뭐라?

뭐 하는 거야,
통로 막히기 전에
빨리…!

으악!

토…
통로가…!

진동이 점점 심해지는 것 같은데…?

ㅋㅋㅋㅋ..

펑 펑

붕웅..

붕

청어

안 그래도 다시 돌아가자니 짜증나는데 차라리 잘됐어.

뭐 어쩌려고? 설마 천곡산을 통째로 날려버리기라도 할 생각은 아니겠지?

날아가든 기어가든 내 알 바 아니고.

우웅..

웅

100

혈비인지 환사인지 하는 놈들을
잡으려면 일단 이 쥐구멍에서
벗어나야 할 것 아냐!

어….

야야!

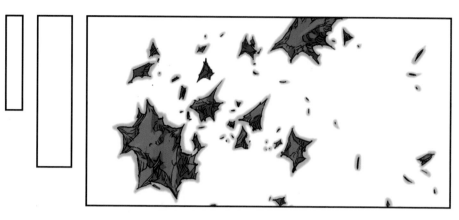

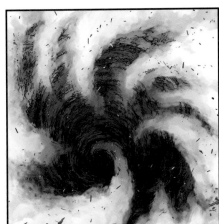

여긴…!

?

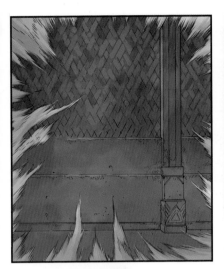

쿠쿠ㄱ...

호오…,
이거 제대로
찾아온 것 같은데?

아까 느꼈던…
'단'인지 뭔지 하는
물건의 기운이
틀림없구만!

......

뭐지,
이 수상하기
짝이 없는 공간은?

폐사원
같은 건가?

...땅속에
이런 곳이
있었다니.

이거…,
나도 이제 늙었나?
분명 단인지 뭔지 하는
그 물질의 요기를
느낀 것 같았는데,

단은커녕
인기척조차
없구만….

자네들은
어떻게 생각하나?

…뭐야,
이 영감탱이들
왜 아직 안 나와?

??

딴 데로 샜나?
설마 무너진 돌 더미에
깔린 건 아니겠지?

으이그!
하여간 손이 많이 가는
것들이라니까…

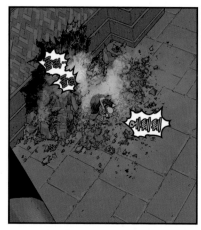

누군가 했더니,
이 친구들이
왜 여기에…?

아이구 이런!
상처를 보게!
대체 어쩌다가
이 지경이 된 거야!

이, 일단
상처 치료부터
해야겠구만….

가…령이
외조부님?

껄껄….
이런 곳에서 자넬
만날 줄이야.

그, 그게…,
사실 저도
얼떨결에….

한데…,
나야 어쩌다 보니
오게 된 거지만,

자넨 어떻게 해서
여기 있는 겐가?

!

그런가?

119

하면 여기가
어떤 곳인지
자네한테 물어도
소용없겠구만.

흐음….

…그나저나
이상한 곳으로
나와버렸군….

……

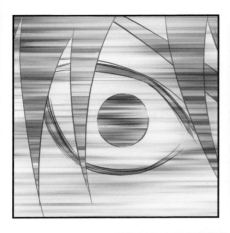

...명심하거라....

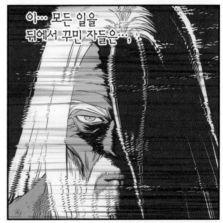

이... 모든 일을
뒤에서 꾸민 자들은...

바로....

......

환술
'분혼마전'!

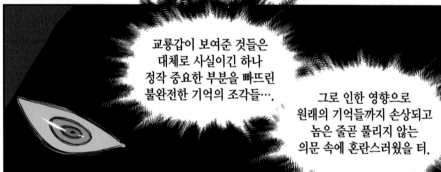

교룡갑이 보여준 것들은
대체로 사실이긴 하나
정작 중요한 부분을 빠뜨린
불완전한 기억의 조각들….

그로 인한 영향으로
원래의 기억들까지 손상되고
놈은 줄곧 풀리지 않는
의문 속에 혼란스러웠을 터.

그 의문의 틈새를
단의 각성과 함께 안배해둔
분혼마전의 술(術)이
파고든다.

알겠느냐.

나와 제자들
사이를 이간하고
네 부친을 죽이도록
모략을 꾸민 자들.

123

그들이 결국
이 모든 비극을 초래한
원흉이다!

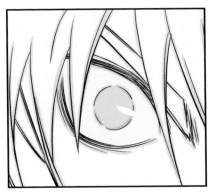

무얼 하고
있는 게냐!

124

그토록 찾고자 했던 자가 지금 네 눈앞에 있지 않느냐!

속히 놈을 죽여 죽어간 이들의 원한을 풀도록 하라!

챔!

자네 분명 혈비란 자와 싸우고 있지 않았나?

그 싸움은 어떻게….

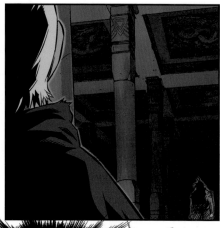

내가 겪어온 모습과는
너무 다른 사부님의
지난 행적들.

갑작스런
사부님의 광기와
그토록 믿었던
제자들의 배신.

그리고…
자신이 죽인 자의
아들을 품어 키우고
모든 것을 전수해준
기행 역시….

그…랬군….

아무리 이해하려 해도
이해할 수 없었던
여러 일들 사이의
인과관계….

…그 연결고리가
당신들이었어!

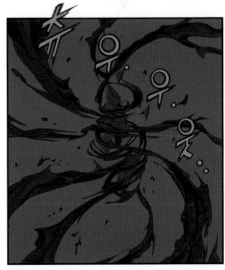

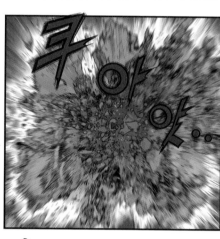

129

132

콰자작 쿠득.

혈비란 놈이
단을 차지하지
않았을까 생각했더니,
이 뭔…

뭐냐,
이 못생긴 놈은…?

캉.

웃…!

설마…
혈비란 놈인가,
저게…?

단의 힘을
통제하지 못해
저 지경이 된 건가?

쿠…죽인다…

……

옥천비란 놈이
호들갑을 떨길래
뭐 엄청 대단한 줄
알았더니…,

생각보다
실망스러운걸…?

자네…,

노부가 기억하는
그 강룡이란 젊은이가
맞는가?

아니오!

내게 당신이 더 이상
신선림의 선배나
지인의 외조부가 아니듯이…!

흐음….

누구나 말 못 할 사정 한 두 가지쯤은 있는 법이니,

굳이 무슨 일이 있었는지는 묻지 않겠네만….

한 가지…,

자네 혹시…, 단이라는 기물을 취했는가?

......

당연히, 그게 목적일 테지!

궁금하면 직접 확인해보시지요!

......

141

사실…, 꼭 대답이 필요한 질문은 아닐세.

들어봤는지 모르겠지만, '선도술'이라는 도가의 수련법을 익히면 이전에 볼 수 없는 것들을 볼 수 있게 된다네.

예를 들면…, 자네 몸에서 발산되는 단의 영기(靈氣) 같은 것도 그중 하나지.

!

내 몸속에 단이 있다는 걸 처음부터 알았다고?

…그럼에도 굳이 질문을 한 건,

자네의 태도를 확인해보기 위해서라네.

태도 여하에 따라… 협조를 구해 되도록 안전하게 단을 추출할 수 있는 방법을 모색해볼지,

아니면 강제로 뽑아내야 할지 결정해야 하기에….

그래서…, 어떨 것 같습니까.

이미 융화가 끝난 단을 몸에서 분리해낸다는 건 상당히 위험할 수도 있다고 들어서 말일세.

아무래도…,

협조를 구하긴
어려울 것 같군.

저벅.

목숨을
걸어야 할 겁니다.

그런가….

필요하다면,

그렇게라도
해야겠지.

후
우..

……!

후…,
이거야….

적당히 기를 눌러놓고
설득해볼까 했더니,

너무 쉽게
생각한 건가….

훅.

150

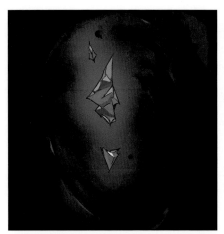

저거였군.
저 붉은 조각이…!
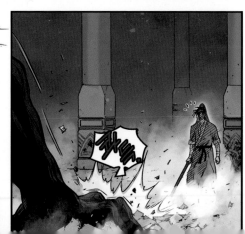

……!

까…강룡…
머…어디…있
느냐…

이쪽이다,
이쪽ㅡ!

탁
탁

크…으…
머…이놈…

저 붉은 쪼가리는 그냥 두고
몸뚱어릴 날려봤자
덩어리만 점점 더
키워주는 꼴이겠구만.

흑산포…

염룡사멸!

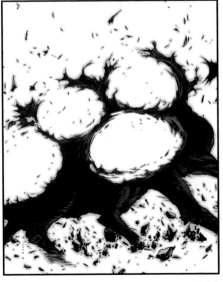

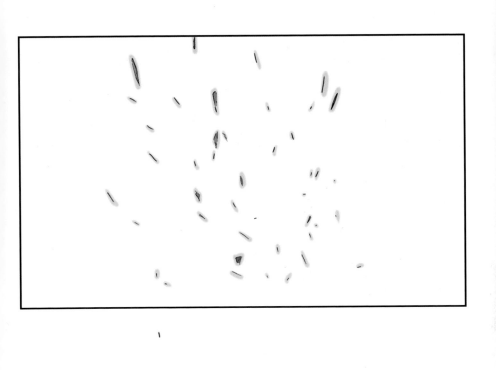

크읍!

됐어.
막혔던 혈이 뚫렸으니
고비는 넘겼다….

훅

훅

그래도 당분간은
무리해서 움직이지 말고
안정을 취하거라.

예….

158

끌….
장차 무림을 짊어질
젊은이들이
어쩌다 이런….

음?

으앗?

쿠쿠쿠쿠…

옥천비를 위해 아껴둔
초식 중 하나였는데
엉뚱한 놈을 상대로
사용하게 되다니….

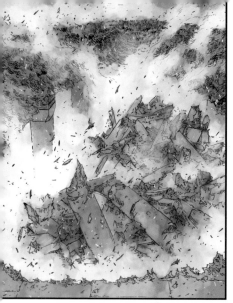

이, 이건
도대체 뭔…?!

뭐야, 난 또….
네놈, 이런 곳에
있었냐?

어….

용 할아버지!

너희들 전부 그
혈비란 자 한 명에게 당해서
이렇게 됐단 말이야?

예.

그러니까….

용이를 구하기 위해 저희 세 명이 협공했지만…,

형태나 힘이나 인간의 영역을 넘어선 괴물 같은 자였어요.

하면 용이는? 그 아인 어떻게 됐느냐?

그건… 모르겠어요. 그 뒤론 저도 의식을 잃었기 때문에….

……

역시 처음 천곡산 입구에서 우리가 놈을 상대했어야 했나….

으음

자, 잠깐!
그렇다면 그 괴물이 된 혈비도
너희와 함께 이곳 어딘가에
와 있을지 모른다는 얘기잖아!

아!

어,
내가 만났어.

만났다고,
내가.

응?
뭐?

힘은 모르겠지만
형태는 확실히
인간의 영역을
벗어났더만.

누구처럼
죽지도 살지도 못하고
방황하고 있길래
손수 극락왕생시켜줬지.

놈이 한 짓들을
미리 알았다면
그렇게 쉽게 보내진
않았겠지만….

지금까지 얘기들을 종합해 보면
혈비가 그런 힘을 갖게 된 건
'단'의 영향인 것 같은데,
놈이 취한 '단'을
완전히 파괴하지 않으면
놈을 죽일 수 없다는 건
알고 있냐!

맞아요.
저희와 싸울 때도
몇 번이나 그런 모습을
보였어요.

나를
뭘로 보고….

그건 옥천비란 놈한테
듣기 전에 네 녀석한테
이미 귀가 따갑도록
들은 말 아냐!

단인지 뭔지
놈의 몸속에 있던
붉은 쪼가리는 확실히
소멸시켰으니까
걱정 말아!

167

지, 진짜지?
믿을 수 있는 거지?

아, 믿기 싫으면
믿지 말든가.

……

…가만.
그리고 보니,

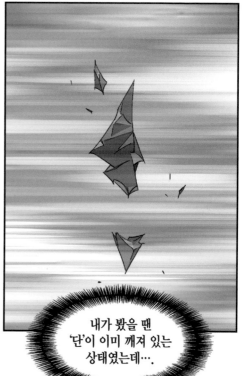

내가 봤을 땐
'단'이 이미 깨져 있는
상태였는데….

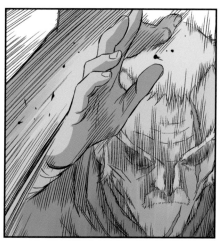

어정쩡한 마음으로
상대하려 했다간
한 번의 실수로
목숨을 잃는다!

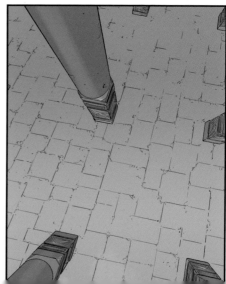

174

안 돼!
그 정도로는
부족하다!

더 격렬하게
더 처절하게…,

너희가 가진 모든 힘을
남김없이 쏟아부어라!

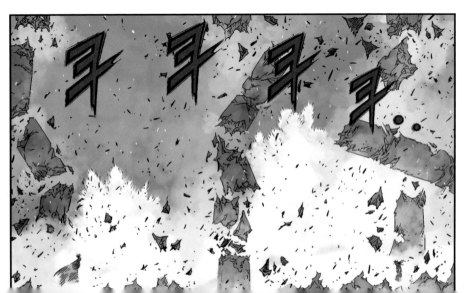

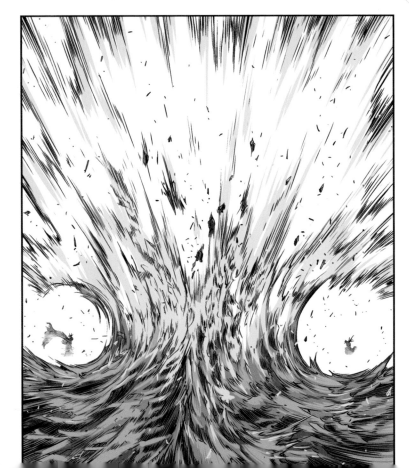

?!

이, 이거 설마….

그쪽이 아니야!

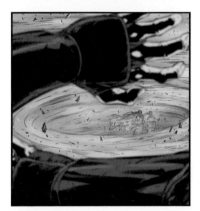

빙옥선제!

어차피 처리해야 할 대상이 제 발로 찾아와주었구나!

후…

이로써 신선림의 삼거두가 모두…

음?

윽…!

저 아이가 어떻게…?

마, 막아라!

당장 저 아이를 천곡산 밖으로 몰아내라!

미리 통보 없이 찾아온
불청객이긴 하지만
다짜고짜 살기라….

보아하니
우리 영감네들이
꽤나 요란하게
놀았던 것 같은데,

상황 정리는
아직인가 보네….

하여간….

땅속…?

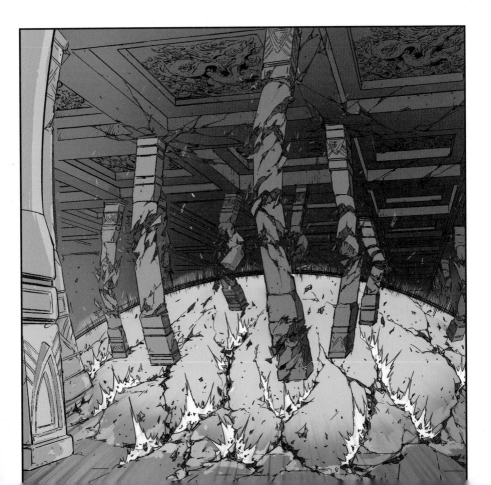

여보, 무사님,
댁, 분명 혈비란 자를
해치웠다고 하지
않으셨소?

그랬지는 개뿔!
그럼 저건 뭐야!
네놈이 어중간하게
처리해놓으니까
저런…!

딱

그랬지.

내가 혈비를 조진 건
위층이고 지금 저긴
바닥 쪽이잖냐.

아무리 노망이 들었기로
아래위 정도는 구분해라,
제발 좀…!

……

쿠웅

자넨
부상당한 친구들을
챙겨!

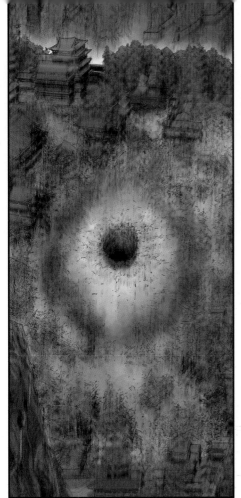

쿠.

쿠.

쿠.

얘, 얘,
어디 가니?

아!

여기까지
데려다주셔서
감사합니다.

가까이에 용이
있는 것 같아요.

이제부턴
혼자 갈게요.

자, 잠깐,
예린아!
얘ー!

쿠· 쿠· 쿠··

우웅~
정말이지···.

원래 여기까지만
데려다주고 돌아갈
생각이긴 했지만,

부

웅

······!

···!

이렇게 위험한 곳에
저 아이 혼자
두고 가기가···.

196

......

설마 너
여길 내려가려는 건
아니겠지?

위험하니까
선제님은 얼른
돌아가세요.

내 걱정
해주는 건
고맙다만…

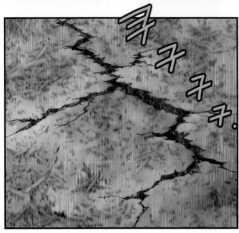

!

예, 예린아!

......!

여기서 우릴 지켜줘야지 또 어딜 가?

어? 야, 족제비!

얌마!

끄응…! 안 되겠다. 얘네들 깨어나면 우리끼리라도 밖으로 나갈 방법을 모색해보자.

……!

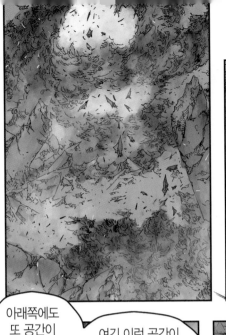

아래쪽에도
또 공간이
있는 건가?

여긴 이런 공간이
얼마나 더 있는 거야.

그나저나.

저건 분명
칠보흑풍권의
흔적인데….

구휘가 설마하니
몸이나 풀자고
저 정도의 살초들을
펼친 건 아닐 테고,
대체 상대가
누구길래….

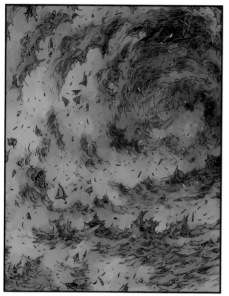

치익…….

어차피 저들은
사부님과 부모님에 관련된
모든 비극의 근원!

저들 모두를 죽이기 전엔
이 죄업은 끝나지 않아!

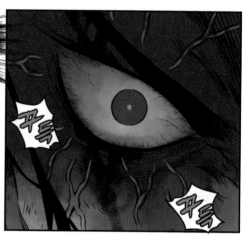

찾았다!

보세요,
저기 있죠?

그러네….

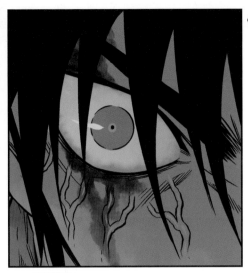

거기,
용이 맞지?

그럴 줄 알았어.

너한테 붙여둔 수호령이
계속 불길한 소식을 알려왔지만
그래도 살아 있을 줄
알았다니까!

......

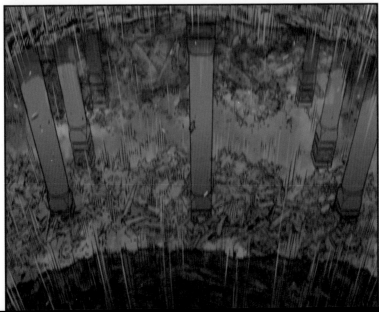

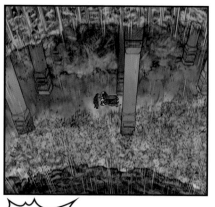

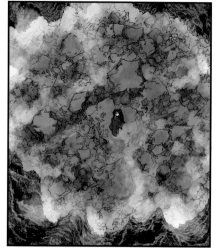

얼핏… 스님과 가령이의 모습을 본 것 같은데….

찾았다!

선제님, 용이 찾았어요!

보세요. 저기 있죠?

그러네.

거기, 용이 맞지?

그럴 줄 알았어.

너한테 붙여둔 수호령이 계속 불길한 소식을 알려왔지만 그래도 살아 있을 줄 알았다니까!

211

용…이…?

욱!

213

거기,
용이 뒤에
붙어 있는 네!

어떻게 수호령을 뚫고
스며들었는지 모르지만,

당장
그 몸에서
나가!

214

크으윽!

용안(龍眼)!

교룡갑!

218

교룡갑을 이런 데서
다시 보게 되다니,
놀랐어….

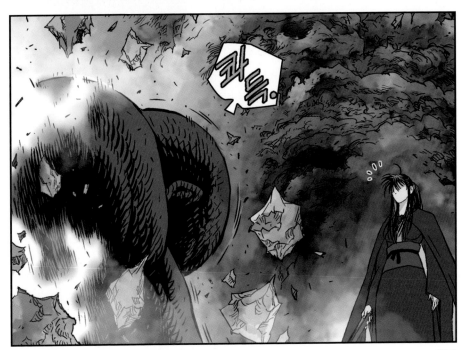

한데…
싸우려 드는 것
같지는 않고….

이 자릴 피해
달아나려는 건가?

안 되지….

221

위험을 무릅쓰고 기껏 여기까지 찾아왔는데 방해하면 못써.

두 사람한테 시간을 좀 줘야 하니 그동안 내가 대신 놀아주지.

지끈

지끈

지끈

……

......

여기
기억나?

우리가 처음…,

아니, 그 전에
네가 객점에 한 번
들렀다가 떠났으니까
두 번째 만난 곳인가…?

생각보다 기억이
심하게 손상됐나 보네.

네 몸에 들어와 있던
그 생령…,

아마 일전에
내가 네 머리끈 속에 붙여둔
수호령을 뚫고 들어오려 했던
그 주술사 같은데,
또 이런 짓을 하다니,
정말…

뭐 어쨌든…,
내가 지운 기억까지
살아난 건 아니지만,

다른 부분들은
군데군데 교묘하게
왜곡돼 있어.

그리고 이번에 네가
객점을 떠난 뒤부터의 기억을
대충 훑어봤는데…,

너,
여기 와서 겪은 갈등…,
예전에도 똑같이
겪었던 것들이야!

그래서 내가 말했잖아.
그런 식으로는 문제를
해결할 수 없다고….

비슷한 상황이 되면
또 갈등하고 상처받고…,
같은 일들이 계속
반복될 뿐이야.

이번엔 더 심하지.
기억까지 조작당해
휘둘리고 있으니….

한번 기억에 손을 대면
환술에 취약해지기 때문에
수호령을 붙여둔 건데,
그걸 뚫고 들어올 줄은
몰랐어….

아무튼…,

지워진 기억을 돌려줄게.

네가 스스로 판단하고 극복하지 않으면 문제는 해결되지 않을 테니까.

고통에서 벗어나려면 잊는 것보다 조금씩 둔감해지는 편이 나아.

처음부터 이렇게 했어야 했어.

……

그럼… 신선림 사람들은…?

그분들은 네 사부님과 관계없어.

조작된 거야.

그중…,
'해동검문의 참사'로
알려진 그 사건은
실제로 있었던 일이야.

참, 그리고 너한테
주입된 기억들이 전부
조작된 것만은 아냐.

실제로 누군가가
겪었던 기억과
만들어진 기억들이
교묘하게 섞여 있어.

단…,

참사의 주범은
네 사부님이 아냐!

신선림 사람들이
꾸몄다는 것도
거짓말….

정작
파천신군의 명을 어기고
해동검문의 참사를
일으킨 주범은…,

사천왕이야!

그 일이 원인이었는지는
정확히 알 수 없지만,

어쨌든 파천신군과
사천왕의 갈등이
표면으로 드러나게 된 건
그 무렵부터였다고…,
엄마한테 그렇게 들었어.

181화

이거 섭섭해서
어떡해….

꼭 가야만 하나?

그냥 여기서
우리랑 같이 살자,
용이 형~.

예….
아직 해야 할
일이 있어서요.

오, 참….
사람을 찾고 있다고
했지….

그럼 그거 끝나면
다시 올 거야?

그래.
할 일 마치면
꼭 다시 돌아올게.

와~!
진짜지?

꺄아!

약속이다!
손가락 걸어!

……!

……!

……!

불을 질러도
안 나오는 걸 보면
떠났다는 말이 거짓은
아닌 것 같습니다!

하면 어느 방향으로
갔는지 알아내!

하지만 지금은
전부 죽어버려서….

무, 물론 죽이기 전에
물어봤을 때도
끝까지 모른다고만….

제길!
지독한 것들…!

다, 당주님!

저놈입니다!
저놈이 제가 말씀드린
그놈입니다!

뭣!

!

이쪽이다!

삐이익

……!

234

파천신군이라는
괴물이 남긴
씨앗이다!

죽여라!

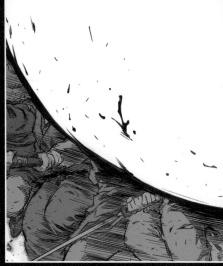

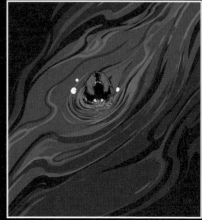

누구…?

왜 이런 데서
울고 있어?

이거 봐.

…그러다 여기서 영영 못 빠져나가게 돼버릴 수도 있어.

…….

내가… 그 기억 지워줄까?

…하지만 그렇게 한다 해도 근본적인 문제 해결은 될 수 없을 거야.

그래도 괜찮겠어?

......!

이 정도로 탈골이라니….

늙었다는 걸 깨닫는 건 그다지 유쾌한 기분은 아니구먼.

뚜둑

뚝

으음….

적당히 받아넘기는 것만으론 끝이 안 나겠어.

결국 살초를 쓸 수밖에 없나.

이번엔 좀 오래 걸리는구만.

마지막에 좀 격하게 부딪히긴 했지만 그 정도로 치명상을 입을 리는 없을 텐데…?

……

한데…

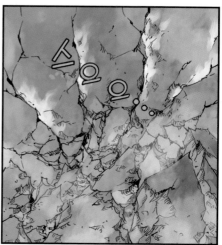

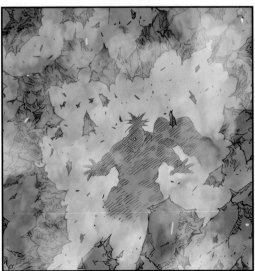

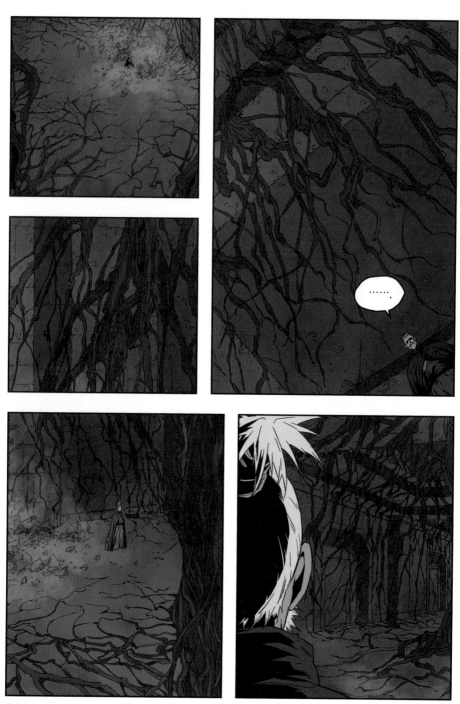

......

이런 곳에
숨어 있었나?

수라마제
옥천비…!

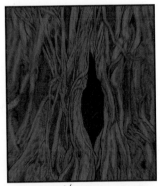

......!

쿡...

너희가 만난 것이
본좌의 실체가 아니라는 건
언제 깨달은 건가?

네놈이 지껄인
그 터무니없는 말들을
우리가 믿을 거라
생각했나?

네놈의 헛소리를
들어주어야 하는가?

……

앞서 네놈이
그런 일을 꾸민 것은
시간을 벌기
위함이었을 터.

아직 시간이
더 필요한가?

우릴 피하고 싶었다면
애초에 숨거나 흔적을
남기지 않았으면 될 일.

…시간을 벌기
위함이라….

하나 네놈은 교묘하게
단서들을 흘려 이곳 천곡산까지
우릴 유인하지 않았더냐.

…그것이 죽음을 가장해
우리의 추적에서 벗어날 의도였다면
어느 정도 수긍할 순 있겠지만,

자신의 죽음 이후 더 이상
우릴 붙잡아둘 필요가 없음에도
터무니없는 이유를 들어
우리로 하여금 이곳 천곡산을
떠나지 못하게 한다?

뭔가 목적이 있지 않고서야
그 모순된 행동들에 대한
설명이 되겠는가?

흐…,
이거야….

거기까지 짐작하고도
속아주는 척했단 말이지….

망가진 기혈로 인해
기초적인 운기조식조차
할 수 없는 몸이라면
무인으로서의 생명은
끝난 것….

식령수(食靈樹)를 통해
내력을 흡수하는 방법을
터득하기까지 그러한
절망 속에 수명이 다하기만을
기다리고 있었다네.

자신의 피와 살을 먹여 키운
흡혈목을 식령수로 삼아
기를 축적하는 수련법.

과거 '무해곡의 괴인'이
내력을 회복하기 위해
훔쳐낸 흡성대법의
비술이었다지?

내력만
되찾을 수 있다면
무슨 요구든 들어줄
용의가 있었지만,

그 비술과의 교환으로
환사가 제시한 조건은
그리 어려운 것도 아니었어.

어떤 면으로는
내가 가려는 길과
일맥상통하기도
했으니….

흡성대법의
비술….

대체 네놈의 내력을
되찾기 위해 지금까지
얼마나 많은 이들을
제물로 삼은 건가?

…자네의 상상을
뛰어넘는 수준인 건
분명하지.

쿡. 쿡.

……

263

결국 너희의 기가
너희를 죽이는 수단이
되는 셈이지!

그래서…,

하고 싶은 말은
다 했나?

역시 재미없는
놈이라니까….

ㅅㅅㅅ…

…….

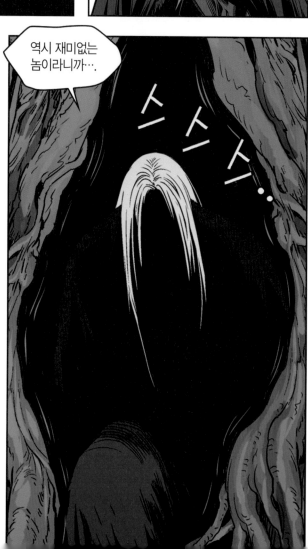

뭐…, 그게
천잔왕 구휘라는
인물이긴 하지만….

이전 얼굴보단
좀 낫군.

후‥

267

자각...

…또 꼭두각시인가? 소용없는 짓이란 걸 가르쳐주었을 텐데…?

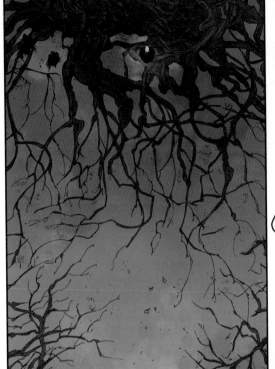

설마 그것뿐일까….

쿠웅..

콰드득 쾅드득

음?

저…,

271

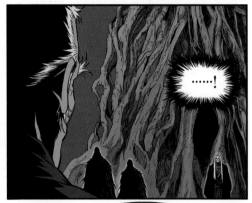

그렇게 버티는 것만으로도
상당한 기가 소모될 텐데,

과연
구휘로다.

하나, 서 있는 정도가
고작인 그 몸으로 과연
제대로 싸울 수나 있을지…?

참, 그리고
미리 말해두네만…,

이 둘은 본좌의 내력으로
움직이는 것들이라
공진 내에서도 그다지
저항을 느끼지 않는다네.

자…, 그럼
시작해보세.

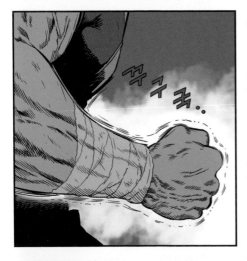

……..

이건…,

사부님의 천원진…?

이 정도 규모의
천원진이라니,
말도 안 돼.

도대체
누가…?

아아….

휴우.

괜찮아?

으응....
갑자기 바위에 짓눌리는 것처럼
몸이 무겁고 숨 쉬기도 거북하더니
지금은 괜찮아졌어.

예린이는 일반인이고,
일각 스님도 그렇다 치지만,
가령이 너는 내공을
좀 더 단련해야겠구나.

그게…,
괴물 같은 자를
상대하다가 내상을
입는 바람에….

나는 왜
그렇다 치는 건데?

흐응…, 그럴 테지.
자기랑 싸운 상대는
전부 괴물이지….

우리 가령이도
무림인 다 됐네?

그 그게 아니라
진짜로 무지막지하게
강한 자였다니까요~~.

암튼 당분간은
내공 수련에 좀 더
열중하거라.

……

……

……

이건…
반탄 기공의
일종인가…?

공진을 깨트리는
역기공이라니,

이런 것이
가능할 거라고는
상상도 못했어.

그나저나…,

다급하게 기공막을 둘러치긴 했지만,

아무리 나라고 해도 이 상태로 오래 버틸 순 없어.

밖으로 나가야 할 것 같은데,

기공막을 유지한 상태로 부상자들까지 옮기긴 힘들고…. 어떡하지? 난감하네….

이 아이들 상태는 어떤가요, 스님?

깨어나면 절단 부위 때문에 극심한 고통을 느낄 겁니다. 되도록 빨리 제대로 된 치료를 받아야 해요.

그런데 네가 우리보다
부상이 훨씬 심했는데
어떻게 된 거야?

뭐야…,
단의 힘을 가졌으니
이제 나 같은 건
필요 없을 텐데
왜 또 불러내는 거야?

이 두 명
잘려나간 부위
어딘지 알아?

그야
알지만….

뭐, 설마 나보고
두 사람의 상처까지
어떻게 해달라는 건
아니겠지?

뭔가 착각하고
있는 것 같은데,
나는 나를 소유한
주인에 관련된
일이 아니면….

그래서,

290

지금
'너를 소유하고 있는 주인'은
누군데?

나냐?
아니면 너를 시켜
내 머릿속을 휘저어
놓으려 했던…,

아마도
환사로 짐작되는
그놈이냐?

……

꼭… 내 대답을
들어야겠다면야….

291

환사는 막사평 이전에
내 소유주이기도 했고,
나를 네게 보내면서 거절하기
힘든 제안을 한 것도
사실이지만,

지금은 틀림없이
네가 내 주인이다!

……!

아아…,
제길. 알았어.

지금까지 '주인님'을
우롱한 죄로
이번만 특별히
예외로 해주지.

하지만 이번뿐이야.
이후로는 너 말고
다른 사람 일에는
절대 관여하지 않아!

슈랏!

!

엇!
깜짝이야!

오오…,
절단된 팔다리를
찾아낸 건가?

……!

과연 교룡갑!
오래전에 보긴 했지만
역시 신물의 힘은
놀랍다니까….

교룡갑을
지금까지 누가 갖고
있었던 거야?

와아….

과정은 모르겠지만
지금은 용이가….

어?
용이는?

방금까지
있었는데.

……．

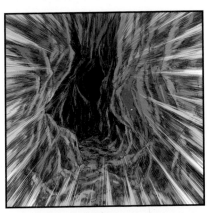

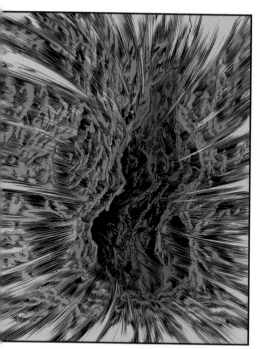

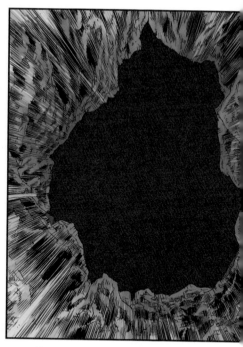

천원진 내에서 아무런 저항을 느끼지 않는 듯 움직이다니.

역시 혈비와는 그릇이 달라….

환사!

사부님의 원수를 갚겠다.

급하군.

기껏 이곳으로 유도해 일행들이 휘말리지 않도록 배려해줬더니….

배려?

빙옥선제님이 끼어들까 두려워 빼돌리듯 나를 여기까지 유인한 것 아닌가?

…그렇게 생각하느냐?

퍼어억…

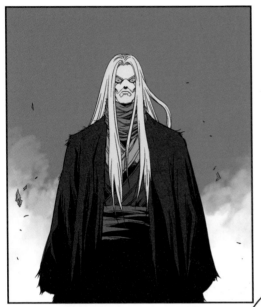

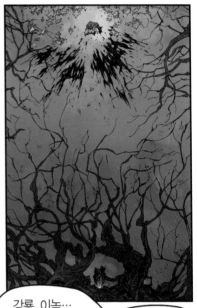

꾸드득‥

강룡, 이놈….
이런 대단한
기공술이 있음에도
왜 나와 싸울 때
사용하지 않았지?

결국 늙은이라
봐주면서 싸웠다
이건가…?

끄응‥

짜증나는구만.

객기 부리지 마라,
구휘.

……

크‥

애써 태연한 척하고는 있지만 몸은 바위에 짓눌린 듯 무거운 데다 공진의 압력을 버텨가면서까지 기공을 사용하긴 힘들 터.

고작해야 가까이 덤벼 오는 것들만 상대하는 정도가 전부 아닌가!

그런 상태로 과연 본좌의 초식을 몇 번이나 받아낼 수 있겠느냐?

후우...

......

아닌 게 아니라
몸이 좀
무겁긴 하지만…,

네놈을 상대하는 건
이 정도로 충분하다!

과연….

이빨을 부러뜨려놔도
호랑이는 호랑이.

공진의 압박 속에서
그 정도의 움직임을
보이다니….

……

조금 얕았나?

음?

쩌…

저…

저…

공진인지 뭔지…
꽤나 거추장스럽군.

크으윽…!

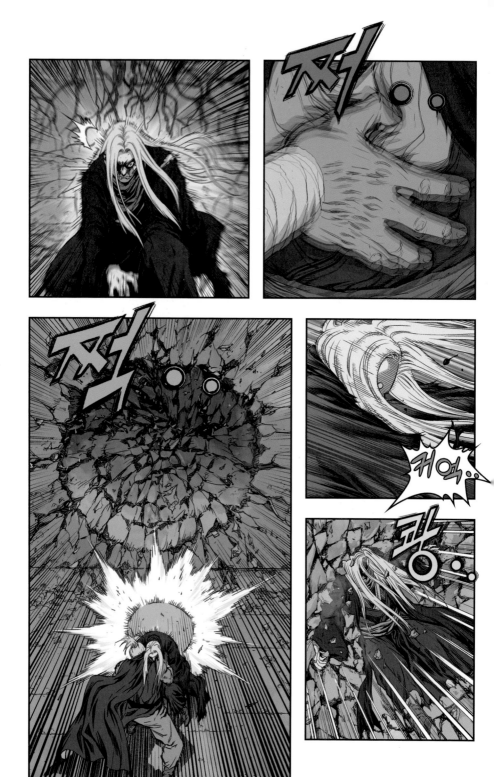

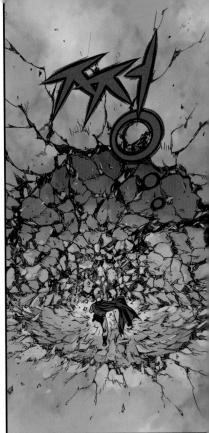

사파무림의 최강자
천잔왕 구휘….

크윽…!

본좌에게 기공을
사용할 틈을 주지 않고
권격으로만 싸우면 이길 수
있을 거라 생각했나?

'단'이란 놈의
신통력이 아니었다면,

벌써 두 번 정도는
죽었던 것 아닌가?

네놈이야말로 그 기물의 힘이
바닥나기 전에 기공이건 뭐건
끌어낼 수 있는 힘은 모조리
동원하는 게 좋을 거다.

이거
실망스럽군.

천하의 구휘가
설마 이 정도로
기력이 다한 건가?

웃어…?

아직 허세 부릴 힘 정도는
남아 있나 본데….

쿡 쿡…

뿌드득

과연 언제까지
그럴 수 있는지 보겠다!

큐우웅

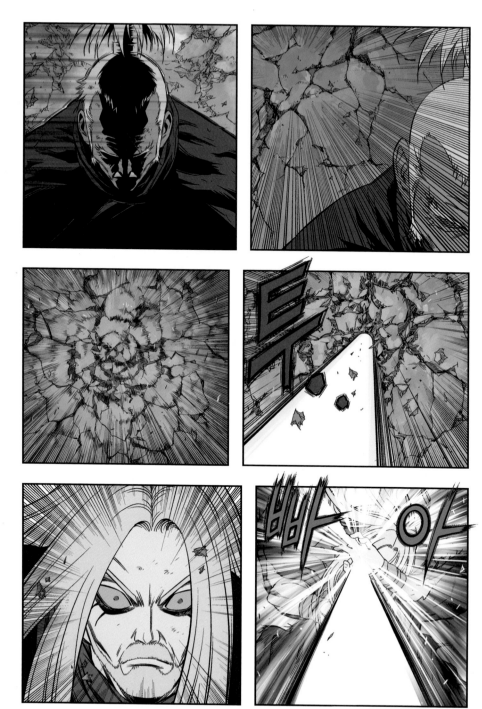

콰콰쾅...

이 뭔…
개미굴도 아니고.

음침한 공간이
많기도 하지….

!

흥.

…내가 이해력이 딸려서 그러는데,

그거 살려줘서 고맙다는 말 맞지?

시끄러!

거의 다 끌어들였는데 네놈이 망쳐놓는군.

스윽.

좀 더 왼편 아래쪽을 뚫어버릴 걸 그랬나….

치릿

치릿

콕콕콕콕‥

아직 더 있나?

이 싸움에 참전하려는 자가 있다면 데려와도 좋다.

너희가 내 계획을 알면서도 기다려주었다 했으니 나도 그 정도는 배려해주지!

생각해주는 건 고맙지만…,

나 혼자면
충분할 것 같은데?

더 있어봤자
귀찮기만 할 테니.

혼자?
끌끌

184화

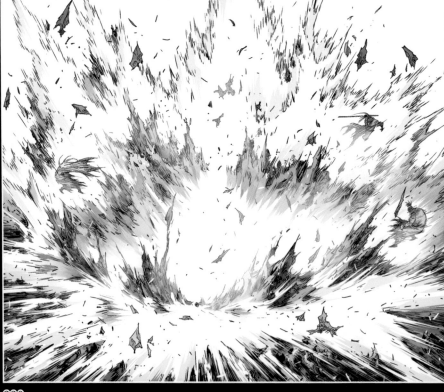

살아서 다시
이 순간을 맞이하게
될 줄이야…

마치 그때 그 시절로
돌아간 듯한 기분이군.

회포는 이미
꼭두각시를 통해
충분히 풀지 않았나.

이제 와서
뭘 또 새삼스럽게….

혹시라도 낡은 기억들을
추억인 양 들추어내
나를 무디게 만들 생각이라면
착각이란 걸 미리 알려주마.

그런 것에
흔들린다면
오히려 실망이지.

하나…

본좌가 이곳
천곡산 일대에 펼친
기공 '천원진'의 영향으로
몸은 이미 충분히
무뎌져 있을 텐데?

내색 않고 버티려는
그 노력은 칭찬해주고
싶지만….

아아…,
그렇군.

기공
천원진이라…

어쩐지 아까부터
이상하게 몸이
무겁더라니.

이게 다 네놈이 펼친
그 천원진인지 뭔지 하는
기공술 때문이었나?

빠앗!

!

이거…
몸이 무거워서 그런지
정확히 겨누기가
힘든걸?

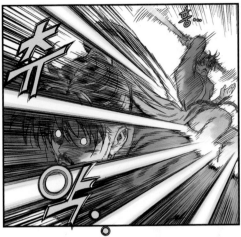

역시
기의 소모가 심한 초식들은
사용하지 못하는가!

무어냐…,
이 불쾌감은…?

천원진 내에서는
기의 소모가 심해
시간이 갈수록 점점 더
버티기 어려워지는 것이
정상일 터.

그런데 어째서
이놈들은…?

설마…,

애초부터 천원진은
너희에게 아무런 영향도
주지 못한 건가?

하! 이런…,
들켰나?

익숙해졌다고?

하면, 지금은 이 거대한 기의 압력에도 아무런 저항을 느끼지 않는다는 건가?

그 '기의 압력'을 상쇄시킬 만큼 내력을 끌어올린 상태를 유지하는 게 좀 까다롭긴 하지만…

한데…, 정작 네놈은 처음부터 계속 그런 상태 아니었나?

그 정도로 놀라다니 대체 우릴 얼마나 하찮게 보고 있었다는 거냐?

……

그…런가….

내 분신과의 싸움에서 보여준 파괴력도 놈이 지닌 힘의 일부분에 불과했나…?

득 큭 큭.

스으…

무형마공
비류검!

그 정도 경지까지
도달했다니….

이제야
결말다운 결말을
지을 수 있겠군.

흥….

이제 와서
무엇을 망설이는 게냐?

이 환사의 목숨을
취하고 싶다면
들어오너라!

……

！

14

2023년 9월 25일 초판 1쇄 발행

저자   문정후 류기운

발행인   정동훈
편집인   여영아
편집책임   최유성
편집   양정희 김지용 김서연
디자인   디자인플러스
본문편집   한상희

발행처   (주)학산문화사
등록   1995년 7월 1일
등록번호   제3-632호
주소   서울특별시 동작구 상도로 282 학산빌딩
편집부   02-828-8988, 8836
마케팅   02-828-8986

ISBN 979-11-411-1319-3
ISBN 979-11-6927-882-9(세트)

값 15,000원